為什麼會有難民與移民？

世界中的孩子 ②

文 凱里・羅伯茲
Ceri Roberts

圖 漢娜尼・凱
Hanane Kai

譯 郭恩惠

目錄

家是我們與所愛的人一起生活的地方，可以享受自己愛吃的食物、玩玩具，還可以睡在溫暖的被窩裡。

不過，有時候家園因為戰爭、天災，或是恐怖主義的行動而變得危險，人們不得不離開，這些人就是我們說的「難民」。另外，有一些人因為想過更快樂、更健康的生活，或是為了和海外的家人團聚，所以選擇離開自己的國家；又或者是因為賺的錢不夠用，必須到國外工作，這些人我們稱為「移民」。

移民不全是因為生活貧困而離開自己的國家。這本書要探討的是：人們究竟為了哪些原因必須逃到其他國家，之後又會發生什麼事情。

有一些難民及移民是孩子，跟著父母或監護人一起遠行。不過，每一年卻有數以萬計的孩子獨自長途遠行，身邊沒有任何成人陪伴，這是因為他們通常是失去父母的孤兒，或是在路途中和父母分開了。

如果你曾在公園或商店裡走失，找不到爸爸或媽媽，你一定知道孤零零一個人有多害怕。要孩子獨自到陌生國家生活，更是件困難的事，他們往往不會說那個國家的語言，也沒有地方可以睡覺，而且他們會很想念家人和朋友。

世界各國都有難民和移民。有些人是因為恐怖攻擊及戰爭而逃亡；有些人是因為自己的身分及所相信的事而遭受到威脅，生活陷入危險。

　　難民和移民經常來自於開發中國家。在那些國家，人活得不久，錢也賺得不多，許多孩子都無法上學。有時候，他們的家還會受到颱風、地震、水災等天災破壞。

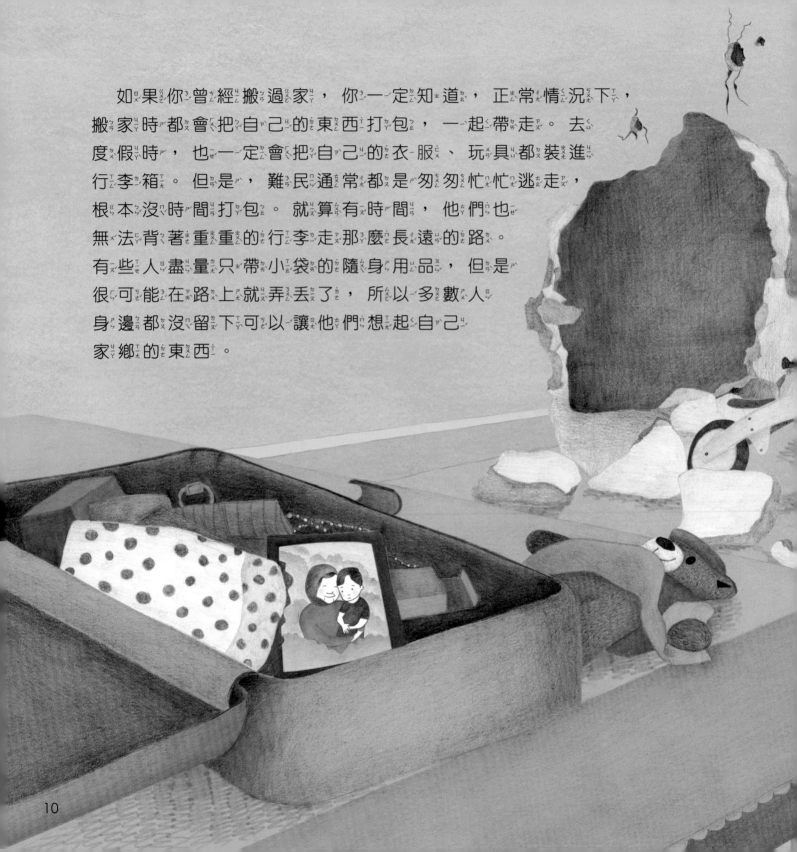

　　如果你曾經搬過家，你一定知道，正常情況下，搬家時都會把自己的東西打包，一起帶走。去度假時，也一定會把自己的衣服、玩具都裝進行李箱。但是，難民通常都是匆匆忙忙逃走，根本沒時間打包。就算有時間，他們也無法背著重重的行李走那麼長遠的路。有些人盡量只帶小袋的隨身用品，但是很可能在路上就弄丟了，所以多數人身邊都沒留下可以讓他們想起自己家鄉的東西。

　　許多難民和移民並沒有帶護照及簽證，這些是入境其他國家時必要的文件。這樣一來，他們也無法搭飛機，所以他們得花上好幾個星期，甚至好幾個月，才能到達其他國家。

難民和移民常常因為逼不得已而不顧生命危險，付錢給人口走私販，請他們幫忙偷渡到其他國家。有些人躲在卡車裡，一躲就是好幾天，沒吃沒喝，躲起來時必須保持安靜，時時擔心被人發現。有些人則是擠在小船上，一起橫渡波濤洶湧的大海。更多人只能用雙腳步行，走上好幾個星期，途中還有可能遇上狂風、暴雨、大雪等極端天氣，身上沒有溫暖衣服、防水雨具，也沒有地方可以睡覺。

在這麼危險的旅程中，有些人喪失了生命，這真是一件令人難過的事情。因此，找到方法幫助這群人，讓他們不必冒著生命危險逃離家園，是非常重要的事。

　　難民和移民都很希望能在安全的國家生活。他們和其他人一樣，想要一個溫暖、舒適的家，可以照顧好自己的家人，擁有一份穩定的工作，孩子們則希望可以上學。這樣一來，他們才可以過著我們視為理所當然的正常生活，例如買喜歡的食物、看電視、和朋友一起玩。

但是，多數難民和移民到達目的地時，都只剩下身上穿的衣服。他們通常沒有錢，沒有地方住，沒有認識的人可以求助，也不會說當地的語言。

就因為這樣，許多難民和移民變成無家可歸的遊民，只能住在難民營的帳篷、活動車屋或簡陋的小屋裡。這些地方不像一般的房子那樣舒適，不過那裡會有許多好心人發送食物、衣物和藥品。

如果你曾經去露營，你可能會覺得很好玩。但是住難民營跟露營不一樣，是很辛苦的。許多家庭得一起擠在狹小空間裡，孩子們沒有自己的房間，更別說是自己的床，有些人連床都沒有。

而且，在某些地方，夏天很熱，冬天又很寒冷。沒有電也沒有自來水，要維持清潔很困難。人們還得排隊好幾個小時領取乾淨的食物和藥品。而那些地方，當然也沒有像樣的學校。

不過，對於住在難民營裡的好幾千人來說，這裡就是他們的家，有些家庭還住了好多年。因此，有許多醫生、護士、老師和志工，志願去協助人們適應難民營，幫助他們打造社區與學校，讓他們能過健康又安全的生活。

慈善組織及政府機關會派遣志工團，努力幫助生活在難民營的人們。有些醫生和護士還設立診所，照顧生病的人。志工則協助興建庇護所，或是為孩子成立學校。還有許多人會募集衣服或食物送去給難民。

當難民或移民到了陌生的國家，必須請求當地政府同意他們居住，也就是「申請居留許可」或「尋求庇護」。這個程序很複雜，也很麻煩。

政府會協助尋求庇護的人找地方住，給予他們一小筆錢買食物和其他需要的東西。在尋求庇護的人當中，沒有成人陪伴的兒童難民，通常會住進育幼院或是收養家庭，在那裡他們可以受到保護。

不過，並不是所有尋求庇護的人都能獲得居留許可，沒有獲得許可的人得再度提出申請，或是到其他國家尋求庇護，又或者是住進難民營。最慘的是，有些人還會被遣返回自己的國家。

　　尋求庇護的人獲得庇護後，才正式被認定為難民。這也就表示他們未來幾年可以住在這個國家工作賺錢，為家人創造更好的生活。孩子們可以去上學，認識新朋友，同時學習新的語言。所以，如果你在學校裡認識了從別的國家來的同學，一定要讓他們覺得自己是受到歡迎的。

如果，過了一段時間之後，難民還是無法安全回到自己的國家，他們可以申請永久居留權。只要通過申請，他們就不用擔心未來的事，可以在新家繼續過安全又幸福的生活。

關心別人是很好的事，但一想到難民和移民的生活，有時候也會讓人很沮喪。如果你覺得難過或傷心，可以跟身邊的大人說說你的感受。你也可以和他們一起想想有什麼事是你能幫上忙的。

記得：世界上大多數的人都有安全又舒適的家可住。你和你的家人不用擔心會變成難民或移民。有許多聰明的人正在努力遏止戰爭及恐怖主義，並試圖終止世界各地的貧窮，希望讓每個人都能過著幸福快樂的生活。

許多人已經伸出援手幫助難民和移民， 但是還有很多你可以做的事。 你可以將食物、 衣服、 玩具或書本捐給難民營。 你也可以義賣蛋糕， 或是參加公益活動， 與慈善組織一同募款， 幫助難民。 你還可以寫信給政府單位， 請他們做更多事照顧有需要的人。

學一學本書中的相關用詞

天災 natural disaster

造成巨大災害的自然現象，如颱風、颶風、水災、地震等。

收養家庭 foster family

代替原生家庭的父母來照顧孩子，使孩子能在穩定的環境下成長。

慈善組織 charity

從事救濟的團體，幫助需要的人們。

庇護 asylum

對於被迫離開自己國家的他國難民，由國家給予的保護。

志工 volunteer

不收報酬而付出時間幫助他人的人。

走私販 smugglers

偷偷運送東西或人到某個地方的人。

孤兒 orphan

失去父母的兒童。

恐怖主義 terrorism

運用暴力手段脅迫他人屈服的行為。

開發中國家 developing countries

收入較少、健康狀況及教育發展程度較低的國家。

政府 government

統治國家並為國家作政策的政治組織。

戰爭 war

敵對的雙方以武力互相爭鬥所引發的事件。

難民 refugee

為了逃難而離開自己國家到國外避難的人。

移民 migrant

為了追求更好的生活，離開自己的國家到外國定居的人。

難民營 refugee camp

收容難民的場所。

本系列與中小學國際教育能力指標對應表

本系列扣合「中小學國際教育能力指標」之學習目標，期待透過本系列的文字及圖畫，孩子、家長及教師能一同探討世界上發生的重大議題，進而引發孩子關懷的心，讓他們在往後的人生道路中，能夠時時關心這個世界並付出己力。

備註：表格中以色塊代表哪一繪本，並於其中標註頁數

為什麼會有貧窮與飢餓？　**為什麼會有難民與移民？**　**為什麼會有種族歧視與偏見？**　**為什麼會有國際衝突？**

中小學國際教育能力指標（基礎能力）

目標層面	能力指標編碼與學習內容	本系列相應內容
國際素養	2-1-1 認識全球重要議題	貧窮與飢餓 P4-17　　難民與移民 P4-19 種族歧視 P6-7　　　偏見與不寬容 P8-11 國際衝突 P4-15
全球責任感	4-1-2 瞭解並體會國際弱勢者的現象與處境	貧窮與飢餓的處境 P6-17 難民與移民的現況 P4-19 偏見的影響 P12-17 國際衝突的後果 P12-15

中小學國際教育能力指標（中階能力）

目標層面	能力指標編碼與學習內容	本系列相應內容
國際素養	2-2-2 尊重與欣賞世界不同文化的價值	尊重不同點 P22-23
全球競合力	3-2-3 察覺偏見與歧視對全球競合之影響	偏見對全球競合力的影響 P12-17 衝突對全球競合力的影響 P12-17
全球責任感	4-2-2 尊重與維護不同文化群體的人權與尊嚴	人權與尊嚴的維護 P20-25　　P18-25 P16-25

中小學國際教育能力指標（高階能力）

目標層面	能力指標編碼與學習內容	本系列相應內容
國際素養	2-3-1 具備探究全球議題之關連性的能力	全球議題的連動性 P4-17　　P4-19 P4-17　　P4-15
全球責任感	4-3-1 辨識維護世界和平與國際正義的方法	安全與和平的維護 P18-25　　P20-25 P18-21　　P4-15

知識繪本館

為什麼會有難民與移民？
世界中的孩子 2

作者｜凱里‧羅伯茲 Ceri Roberts
繪者｜漢娜尼‧凱 Hanane Kai
譯者｜郭恩惠
責任編輯｜張玉蓉
特約編輯｜洪翠薇
美術設計｜蕭雅慧
行銷企劃｜陳詩茵、劉盈萱

天下雜誌群創辦人｜殷允芃
董事長兼執行長｜何琦瑜
媒體暨產品事業群
總經理｜游玉雪　副總經理｜林彥傑
總編輯｜林欣靜
行銷總監｜林育菁　主編｜楊琇珊
版權主任｜何晨瑋、黃微真

出版者｜親子天下股份有限公司
地址｜台北市104建國北路一段96號4樓
電話｜（02）2509-2800　傳真｜（02）2509-2462
網址｜www.parenting.com.tw
讀者服務專線｜（02）2662-0332　週一～週五 09:00~17:30
讀者服務傳真｜（02）2662-6048
客服信箱｜parenting@cw.com.tw
法律顧問｜台英國際商務法律事務所‧羅明通律師
製版印刷｜中原造像股份有限公司
總經銷｜大和圖書有限公司　電話：（02）8990-2588

出版日期｜2018年4月第一版第一次印行
　　　　　2024年4月第一版第十六次印行
定價｜300元
書號｜BKKKC089P
ISBN｜978-957-9095-57-0（精裝）

訂購服務
親子天下Shopping｜shopping.parenting.com.tw
海外‧大量訂購｜parenting@cw.com.tw
書香花園｜台北市建國北路二段6巷11號　電話｜（02）2506-1635
劃撥帳號｜50331356 親子天下股份有限公司

立即購買 >